1ª reimpressió.
Ediciones Jaguar, 2014
C/ Laurel 23, 1º. 28005 Madrid
www.edicionesjaguar.com
© Traducció: Olga García Arrabal

First published in Great Britain in 2013
by Simon & Schuster UK Ltd.
1St Floor, 222 Gray's Inn Road, London,
WC1X 8HB.
A CBS Company

Per en
Malachy Doyle.
–M.R.

Als meus avis.
–K.H.

ISBN: 978-84-15116-97-4
IBIC: YBC

Imprès a la Xina.

www.edicionesjaguar.com

EdicionesJaguar
@Ed_Jaguar
edicionesjaguar

Com rentar un
MAMUT
llanut
MICHELLE ROBINSON · KATE HINDLEY

miau

El teu mamut llanut necessita un bany?
No és una cosa fàcil de fer...

Els mamuts llanuts són força GRANS
i tothom sap que és difícil rentar la llana.
No pateixis, només has de seguir aquesta guia pas a pas.

PAS U:

Omplir la banyera.

Fig. 1: Buida.

Fig. 2: Plena.

Si el teu mamut té set,
potser et caldrà
més estona.

PAS DOS:

Afegir bombolles.

PAS TRES:

Afegir el mamut.

Fig. 1: Escombra.

Fig, 2: Màscara esgarrifosa.

Fig. 3: Monopatí.

Fig. 4: Grua per a càrregues pesades.

Si tot això falla,
un pastís sempre funciona.

PAS QUATRE:

Comença a fregar!

No t'oblidis de rentar darrere les orelles...

PAS CINC:

Renta la seva gran panxota.

COMPTE:

Els mamuts tenen moltíssimes pessigolles a la panxota!

PAS SIS:

ESQUITXAR!

PAS SET:

Ara arriba el moment realment PELUT.

Necessitaràs xampú. No massa!

ig. 1:
ombolles
legres.
Fig. 2:
Qui? Jo?
Fig. 3:
Esgarrifós.
ig. 4: Mamut amb cabellera.
Fig. 5:
I així?
Fig. 6: Rínxols.
ig. 7:
l Rei.
Fig. 8: Amb la ratlla al costat.
COMPTE!!!
Que no li entri
sabó als...

...ULLS!!!

Sortirà corrent!

PAS VUIT:

Per fer baixar un mamut llanut
mullat d'un arbre, necessitaràs...

... un trampolí molt RESISTENT.

PAS NOU:

Deixa-li compartir el bany amb TU!

PAS DEU:

Estén la tovallola

i ARRAULIU-VOS.